趙孟頫書秋聲賦·烟江疊嶂圖詩

彩色放大本中國著名碑帖

孫寶文 編

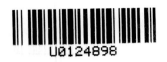

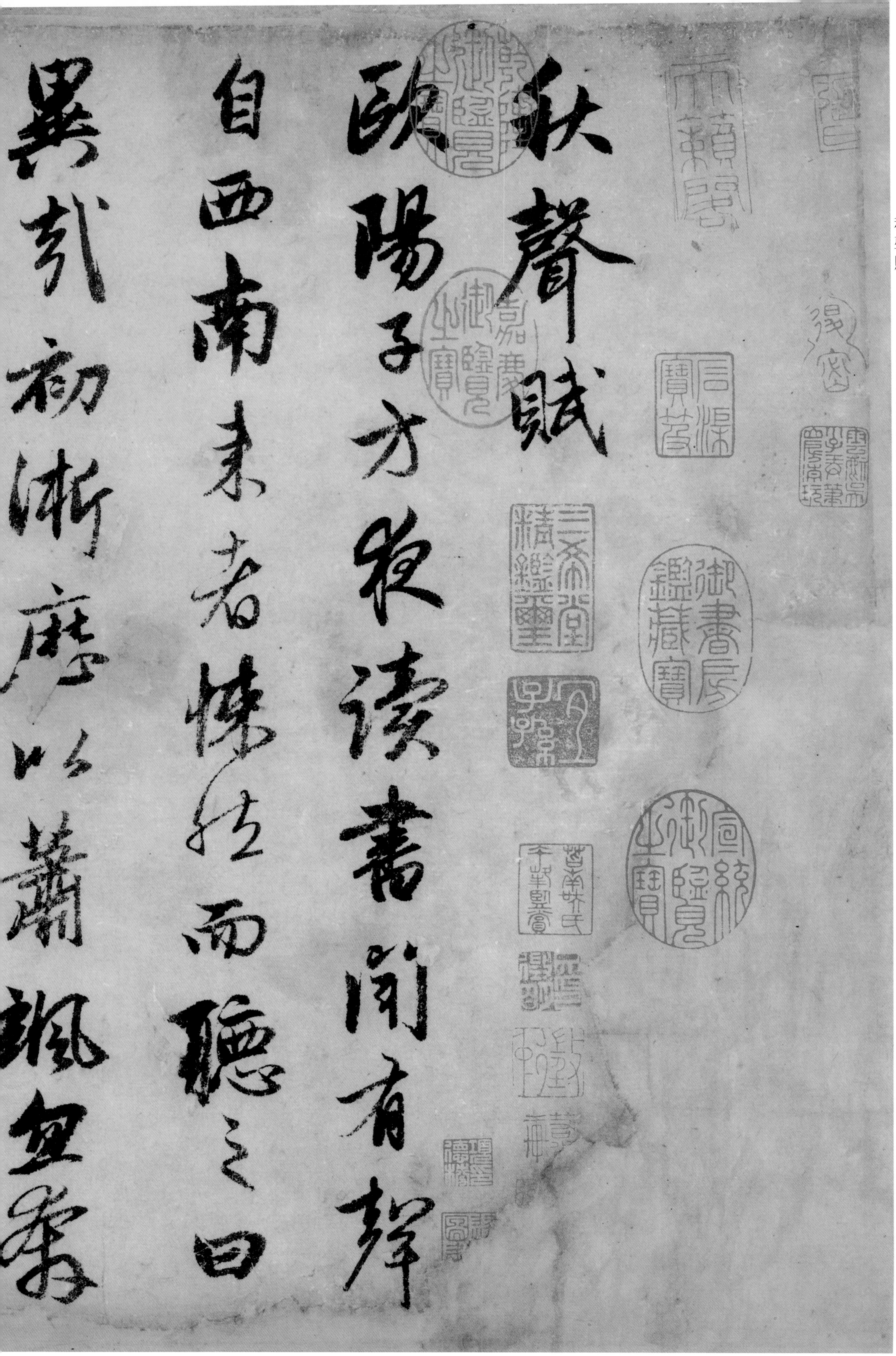
秋聲賦
歐陽子方夜讀書聞有聲
自西南來者悚然而聽之曰
異哉初淅瀝以蕭颯忽奔

秋聲賦

歐陽子方夜讀書聞有聲自西南來者悚然而聽之曰異哉初淅瀝以蕭颯忽奔

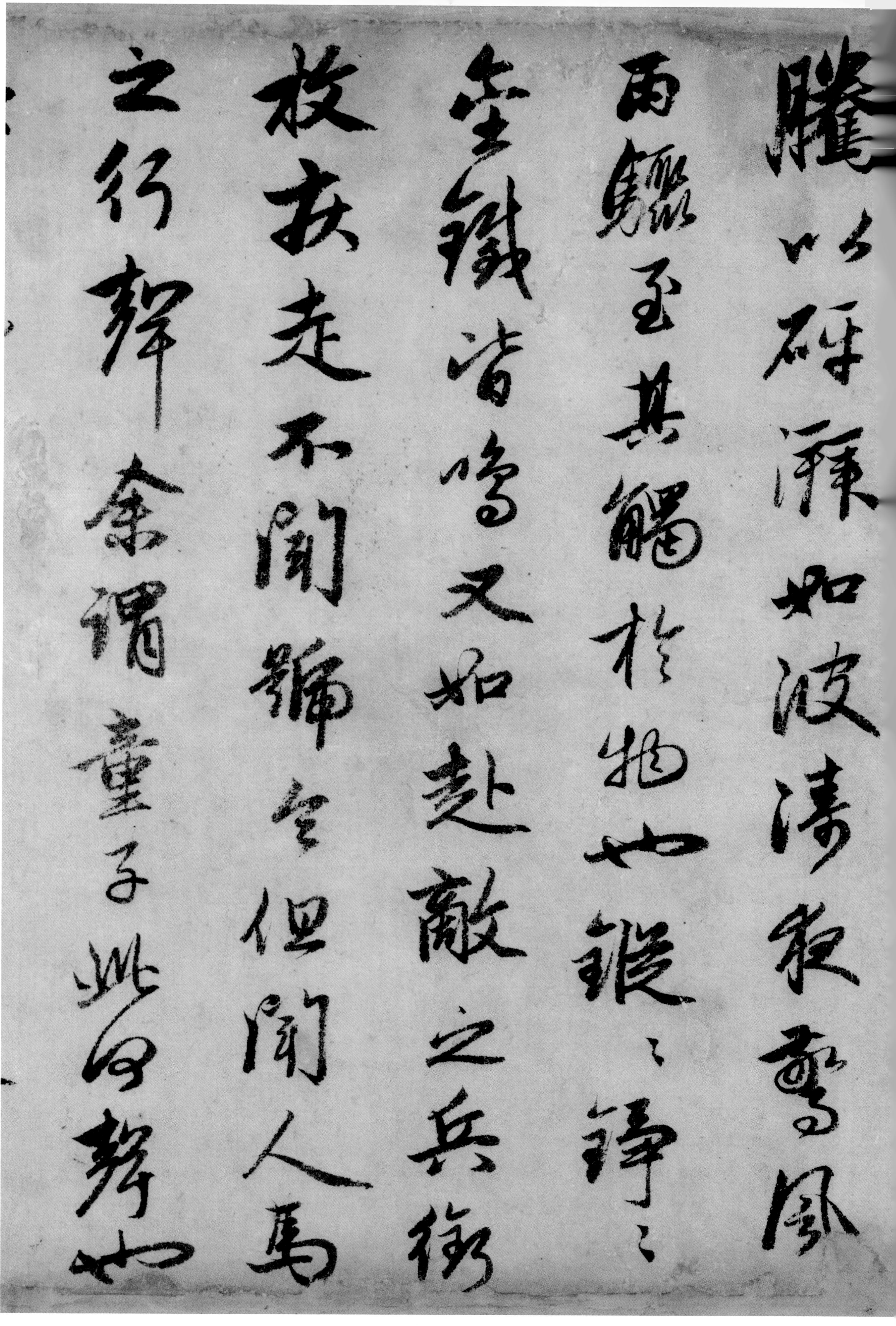

騰以砰湃如波濤夜驚風雨驟至其觸於物也鏦鏦錚錚金鐵皆鳴又如赴敵之兵銜枚疾走不聞號令但聞人馬之行聲余謂童子此何聲也

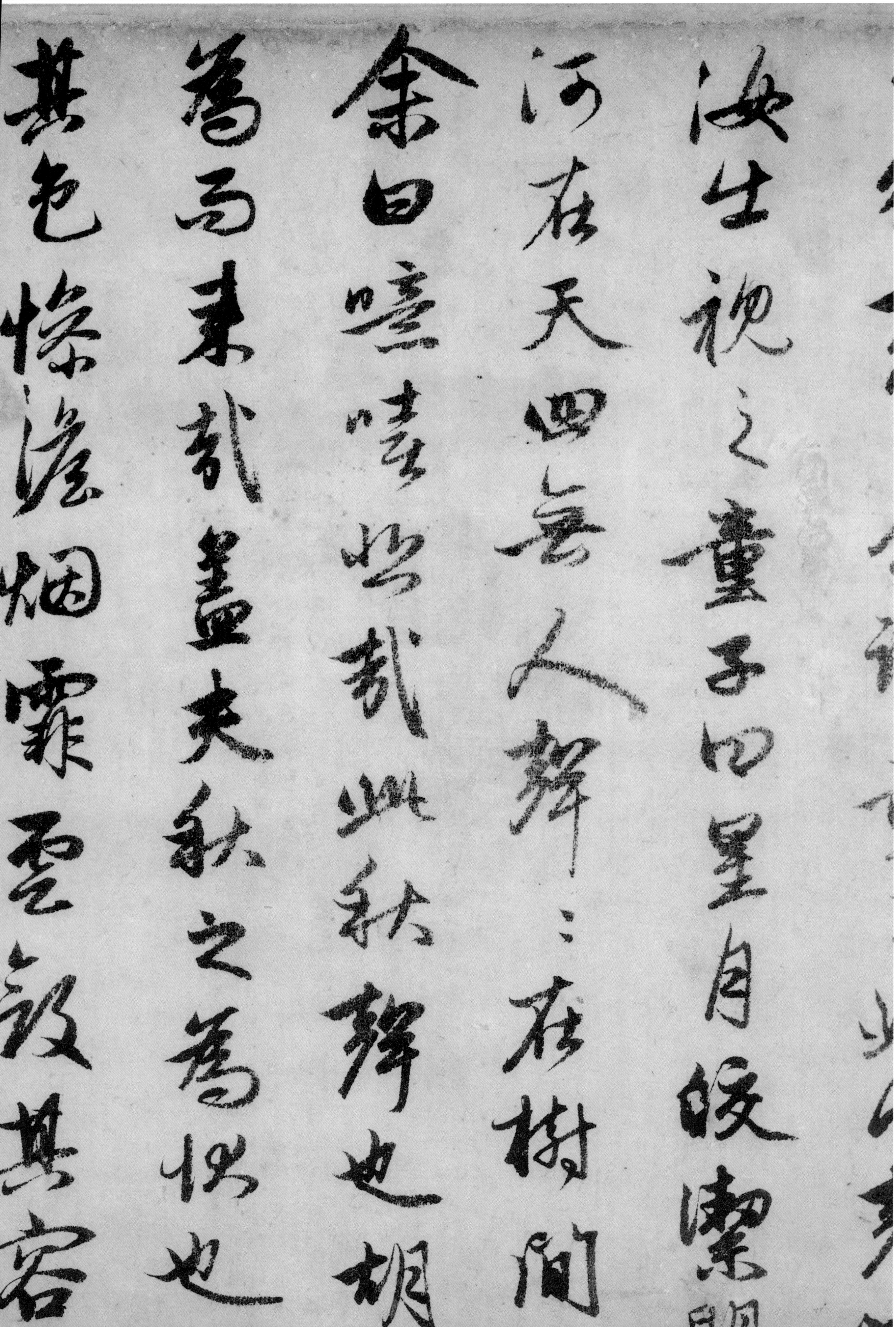

汝出視之童子曰星月皎潔明河在天四無人聲聲在樹間余曰噫嘻悲哉此秋聲也胡爲而來哉盖夫秋之爲狀也其色慘澹烟霏雲斂其容

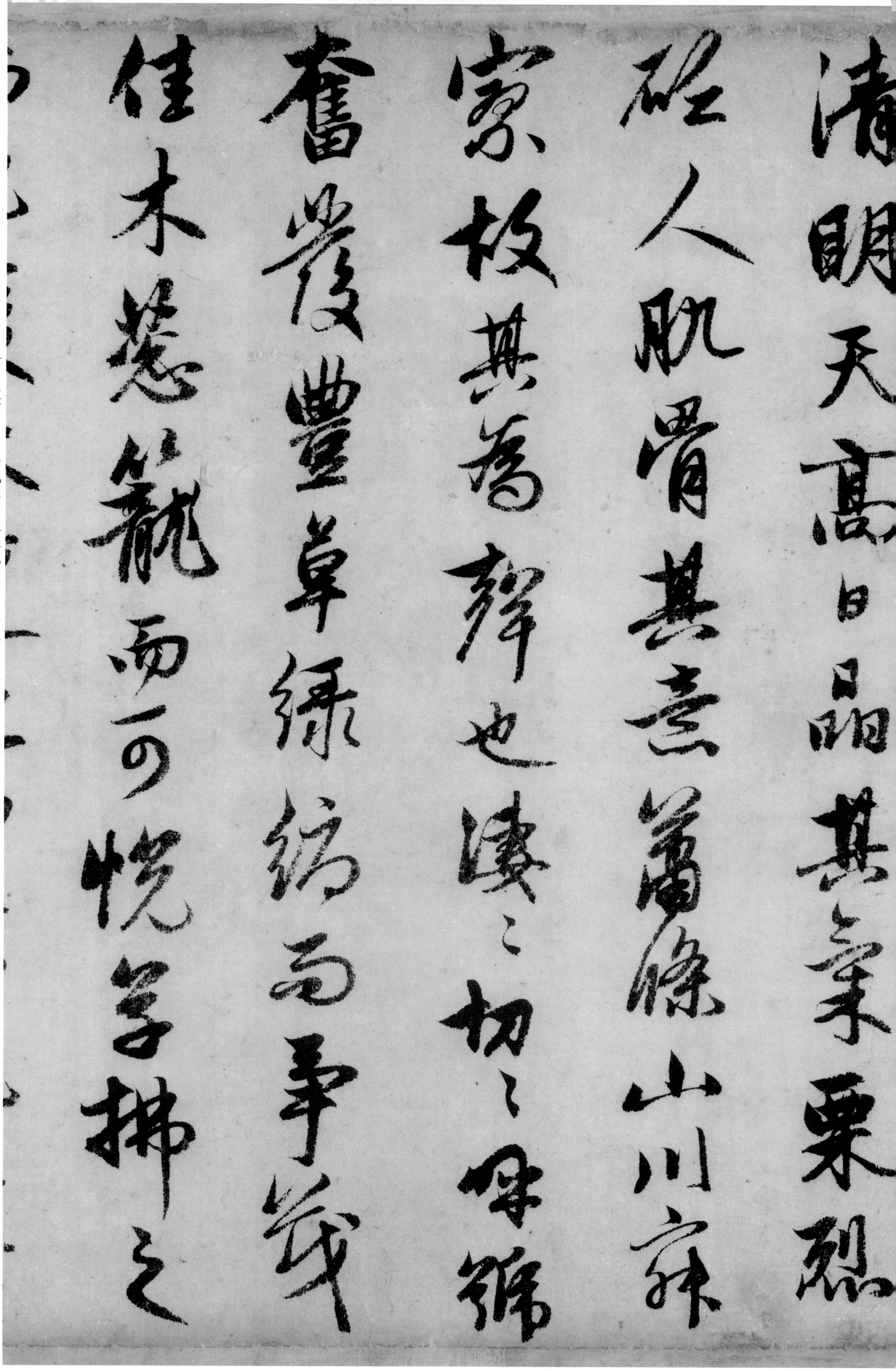

清明天高日晶其氣栗冽砭人肌骨其意蕭條山川寂寥故其爲聲也凄凄切切呼號奮發豐草緑縟而争茂佳木葱籠而可悦草拂之

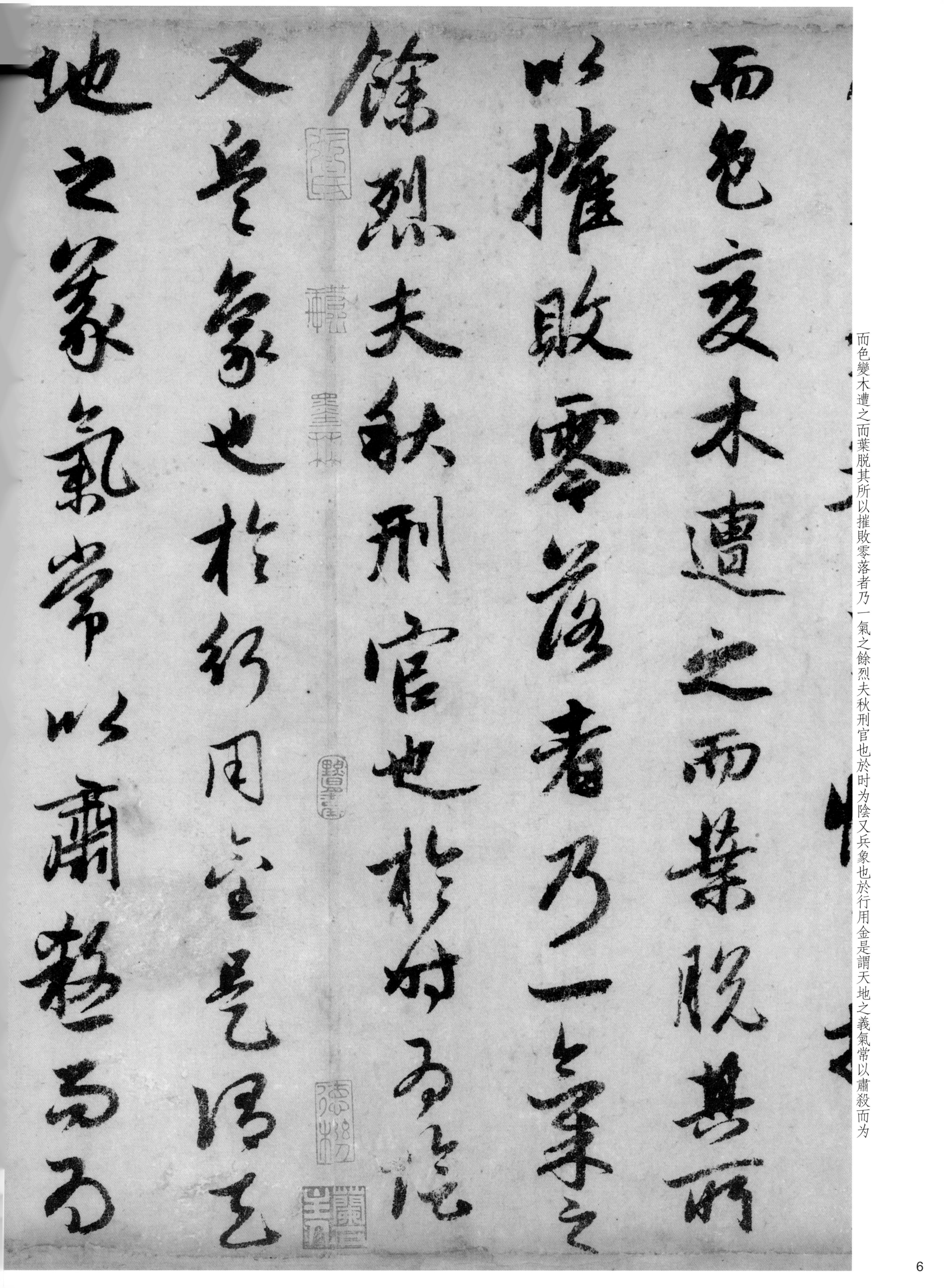

而色變木遭之而葉脱其所以摧敗零落者乃一氣之餘烈夫秋刑官也於时为陰又兵象也於行用金是謂天地之義氣常以肅殺而为

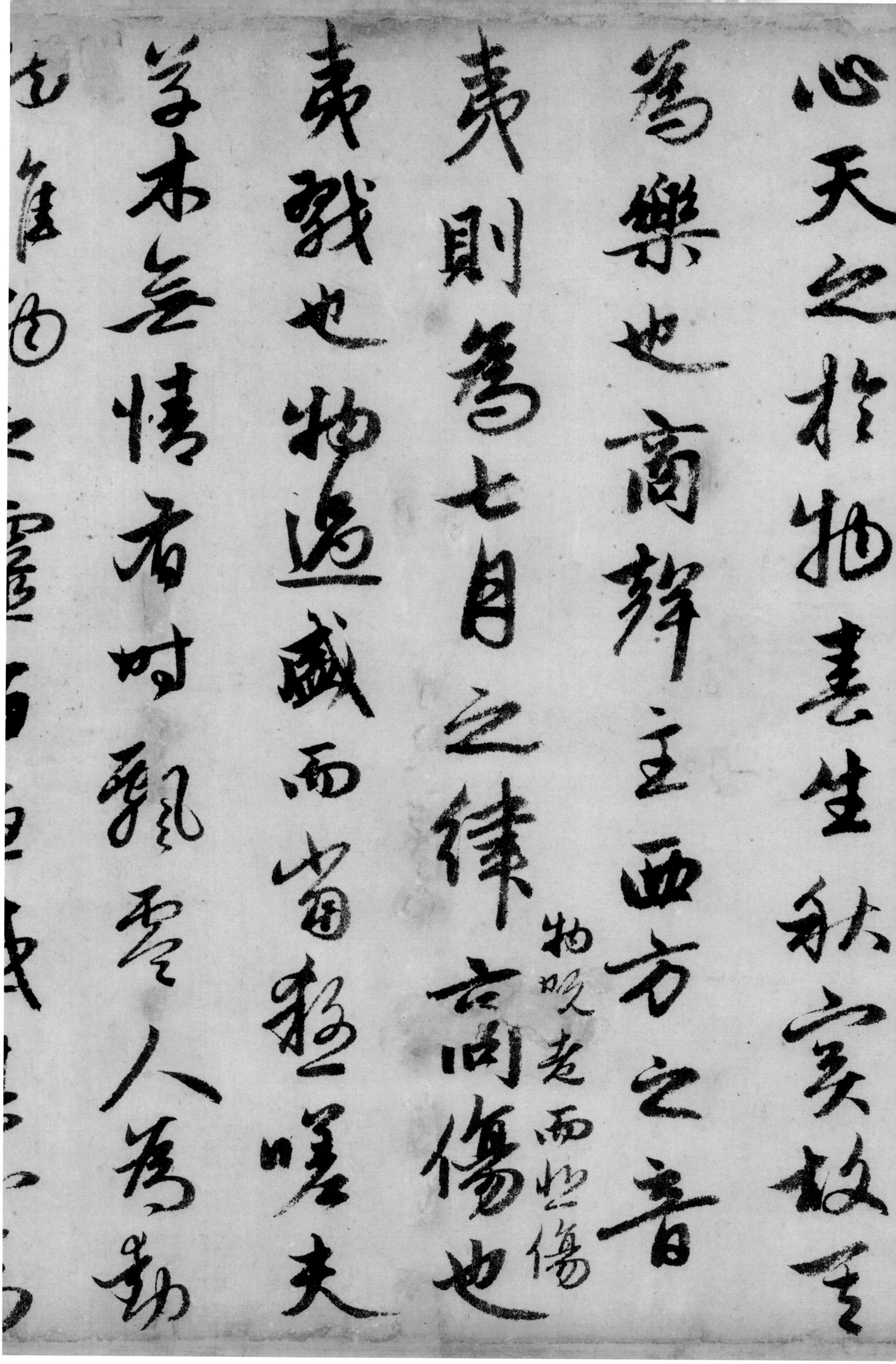

心天之於物春生秋實故其爲樂也商聲主西方之音夷則爲七月之律商傷也物既老而悲傷夷戮也物過盛而當殺嗟夫草木無情有时飄零人爲動

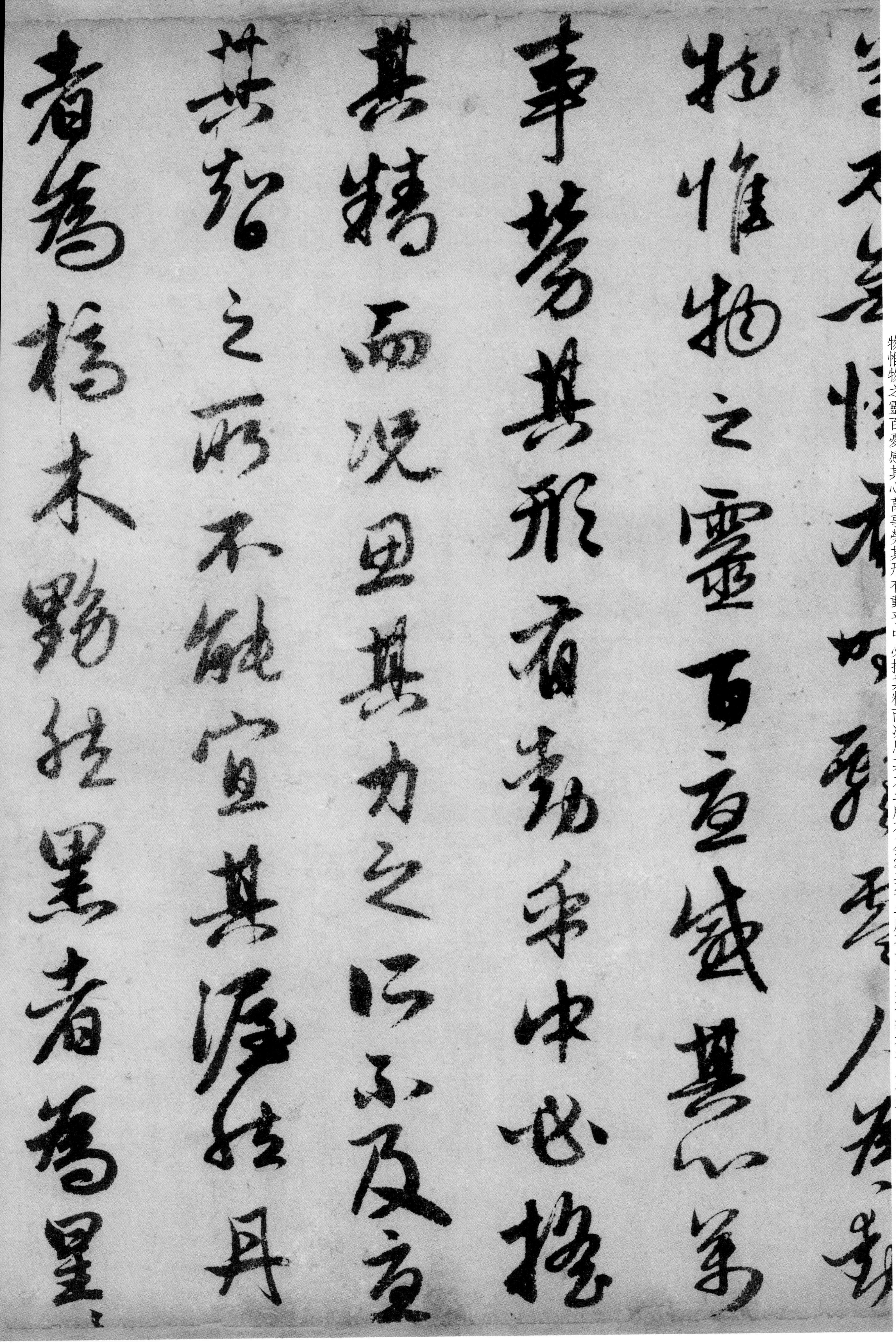

物惟物之靈百憂感其心萬事勞其形有動乎中必搖其精而況思其力之所不及憂其智之所不能宜其渥然丹者爲槁木黟然黑者爲星星

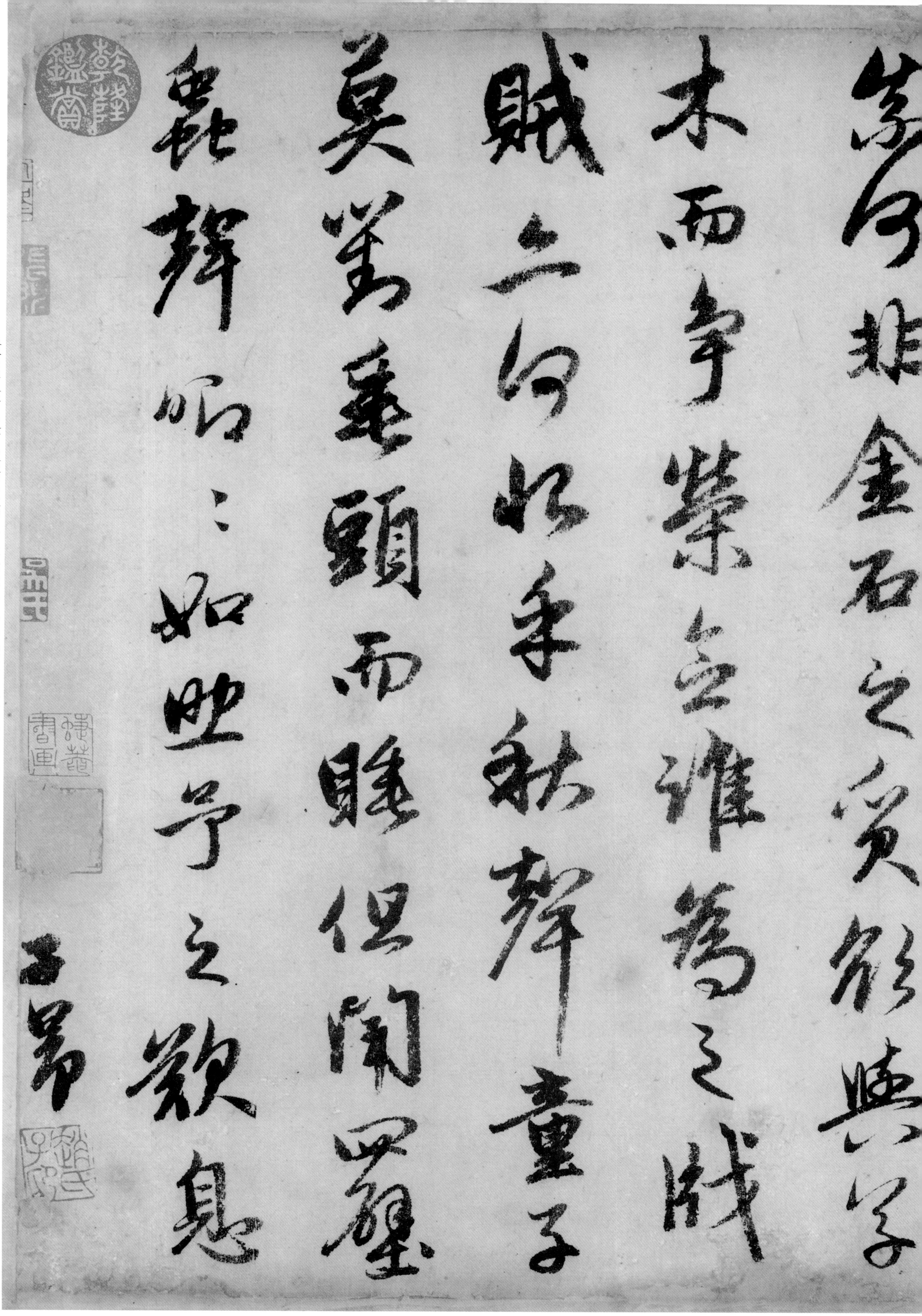

奈何非金石之質欲與草木而争榮念谁爲之戕賊亦何恨乎秋聲童子莫對垂頭而睡但聞四壁蟲聲唧唧如助子之歎息

子昂

雙鉤贋作佳者

江上愁心千疊山

浮空積翠如雲

烟、耶雲耶

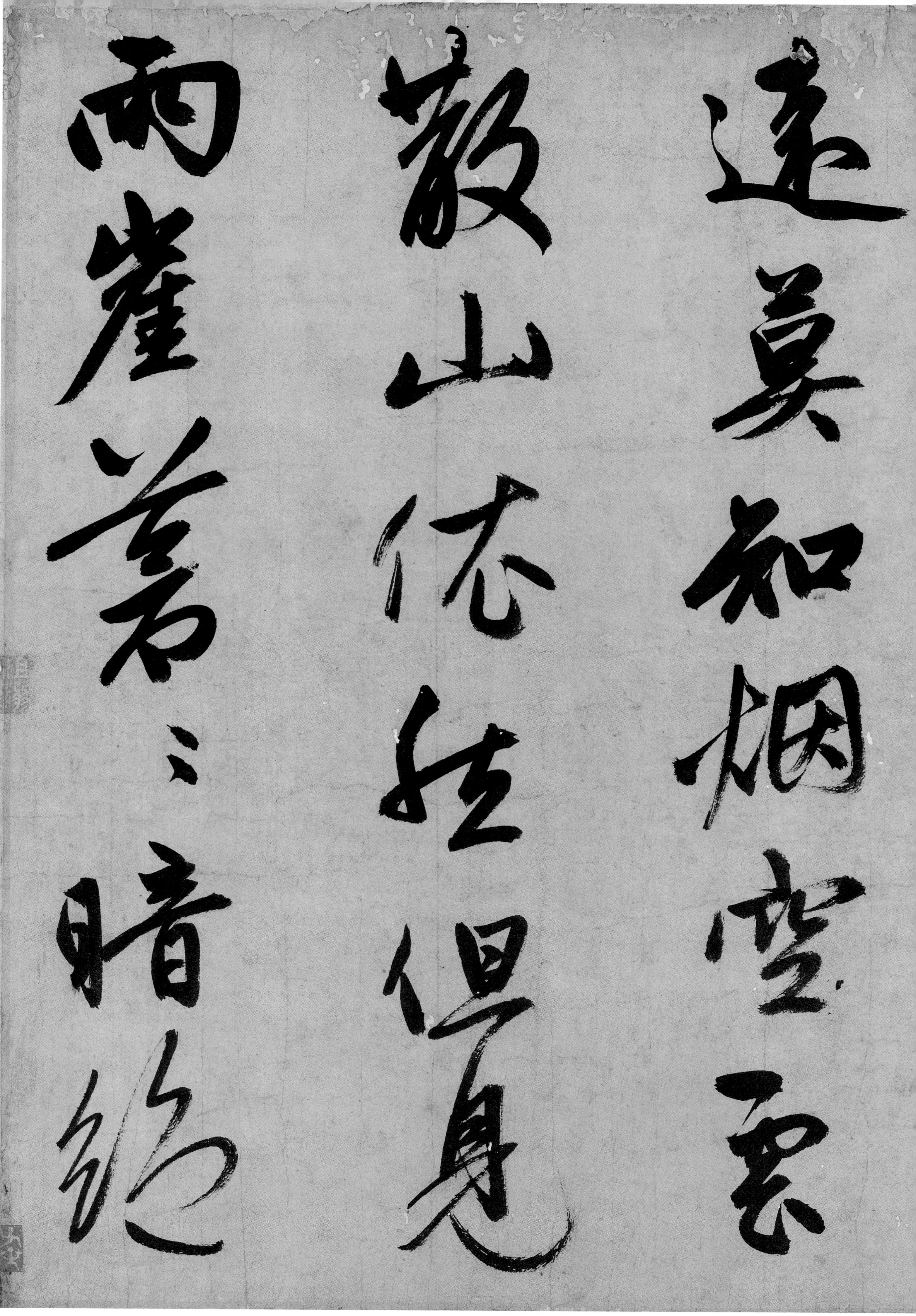

烟江叠嶂圖詩

江上愁心千叠山浮空積翠如雲烟烟耶雲耶遠莫知烟空雲散山依然但見兩崖蒼蒼暗絶

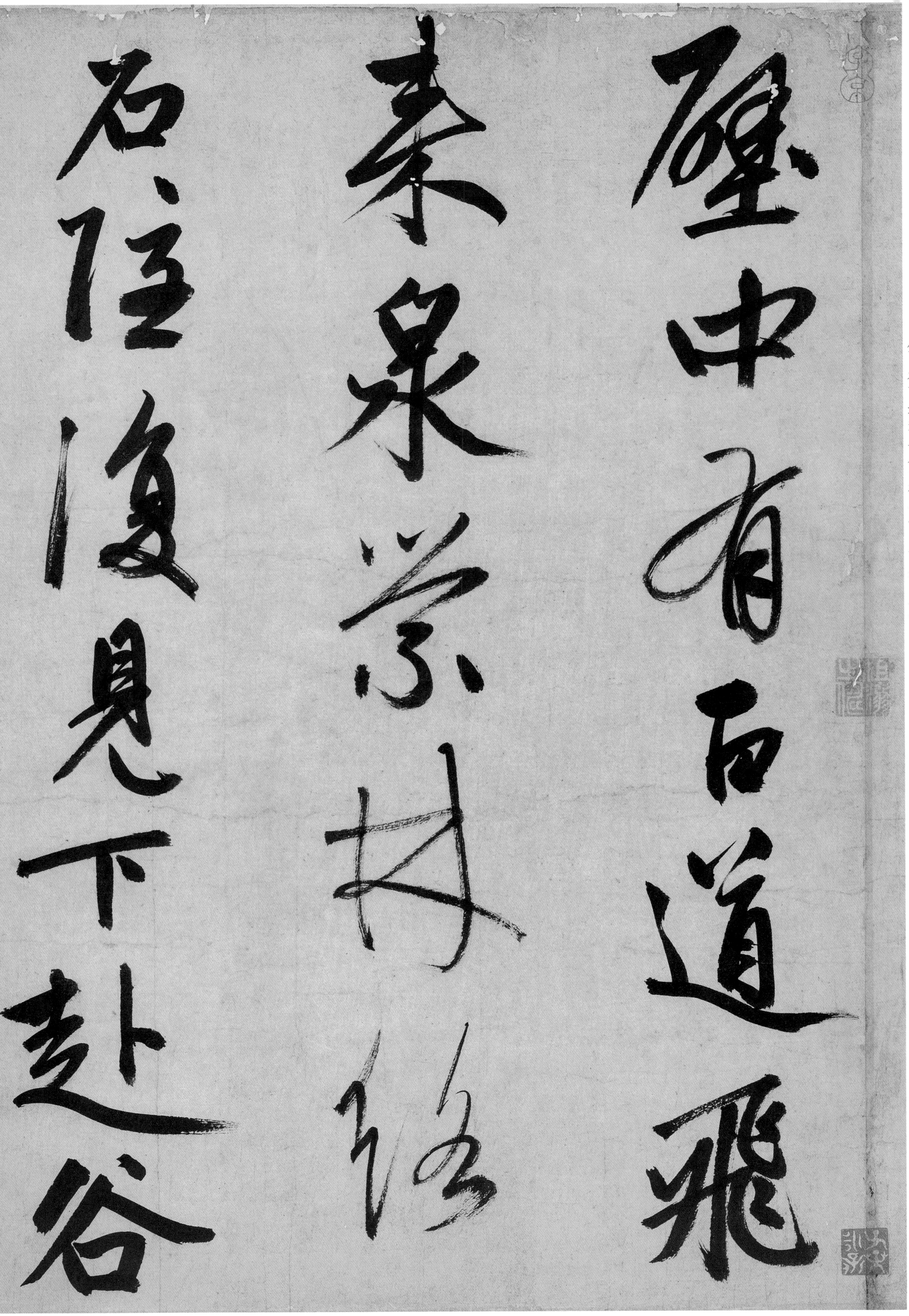

壁中有百道飛來泉縈林絡石隱復見下赴谷

口爲奔川川平山開林麓斷小橋野店依山前

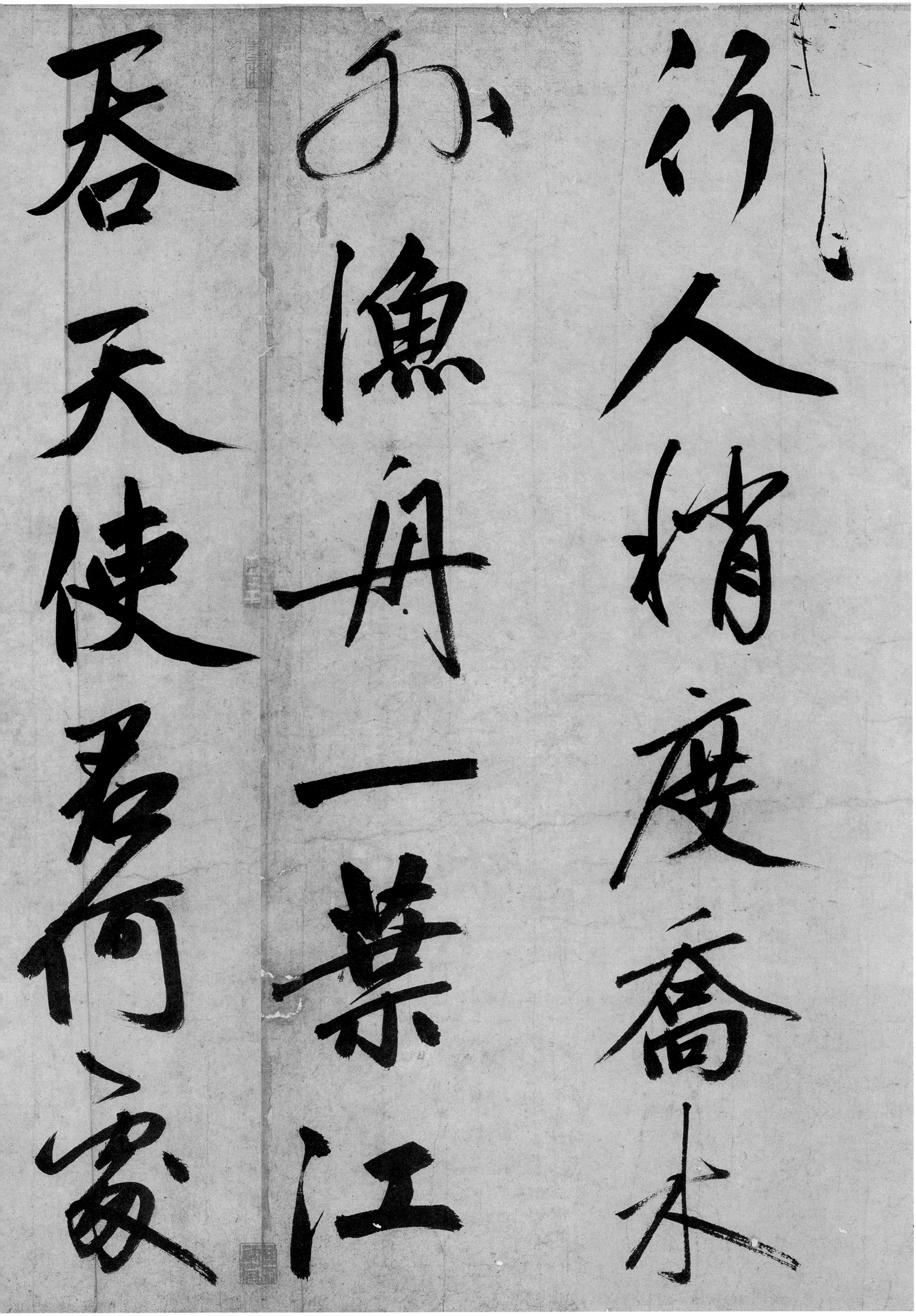

行人稍度喬木外漁舟一葉江呑天使君何處

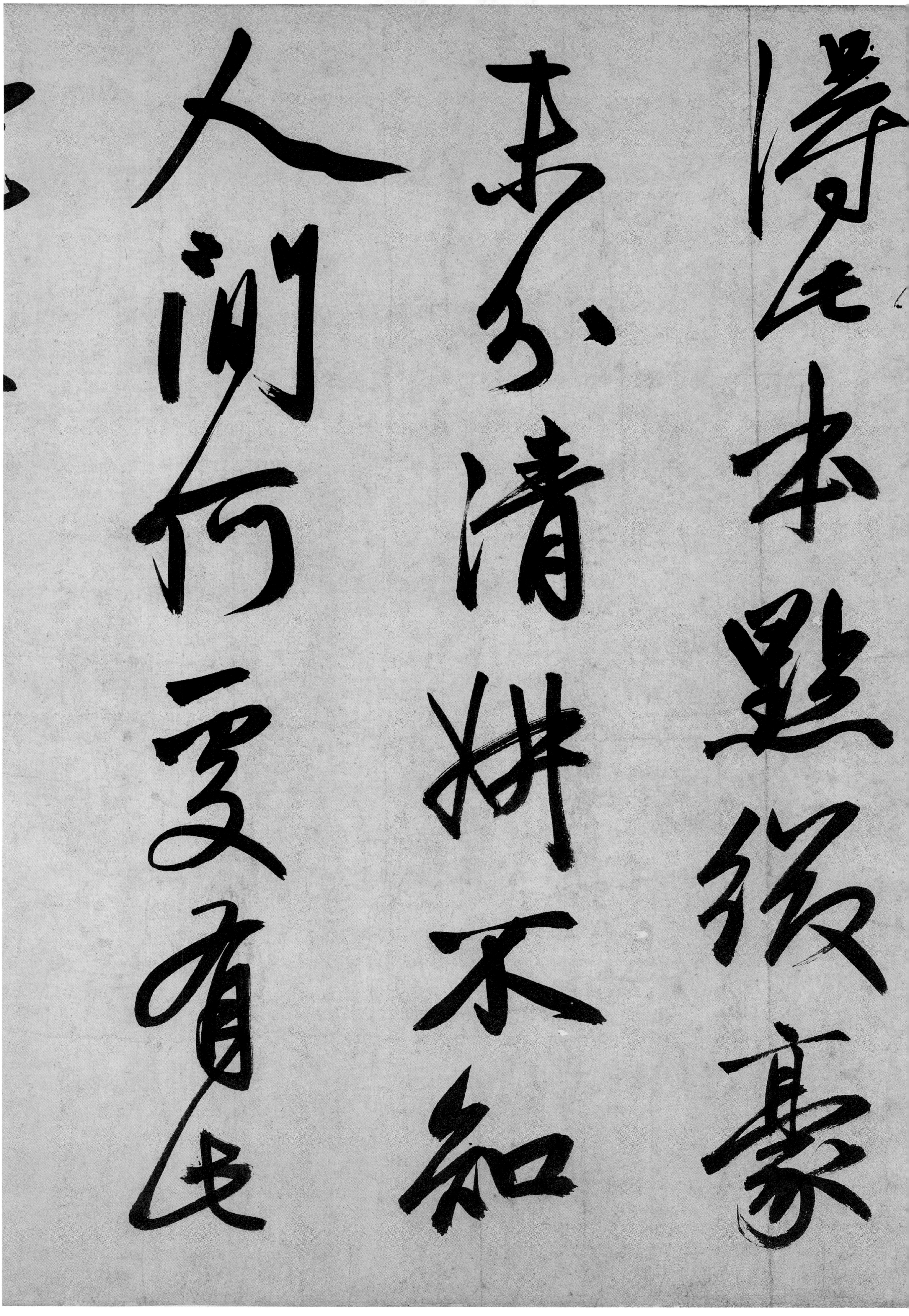

得此本點綴豪末分清妍不知人間何處有此

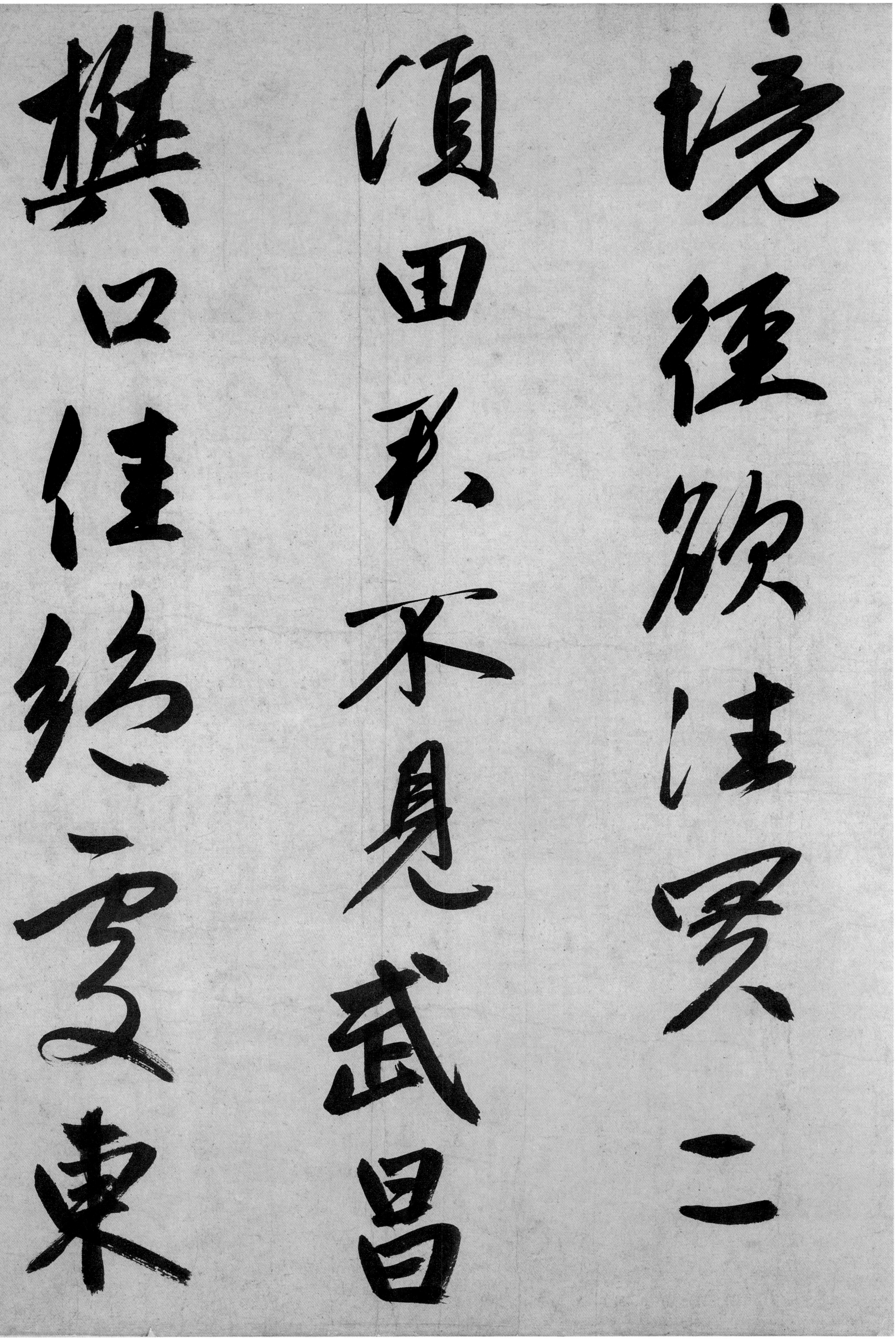

境徑欲往買二頃田君不見武昌樊口佳絶處東

坡先生留五年春風摇江天漠漠暮雲卷雨山娟娟

坡先生留五年
春風摇江天漠
暮雲卷雨山娟

丹楓飜鴉伴
水宿長松落
雪鷺晝眠桃花

丹楓飜鴉伴水宿長松落雪鷺晝眠桃花

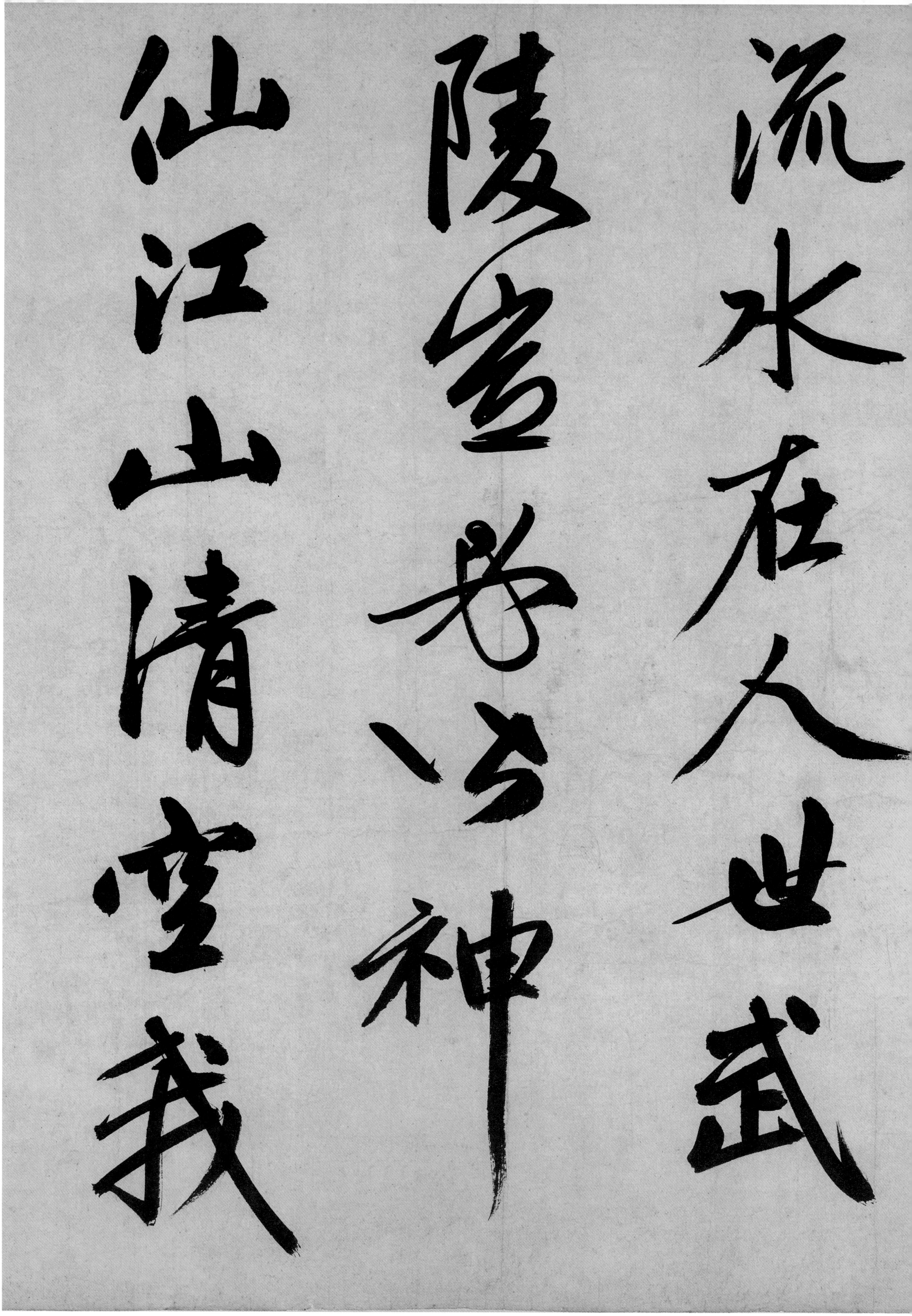

流水在人世武陵豈必皆神仙江山清空我

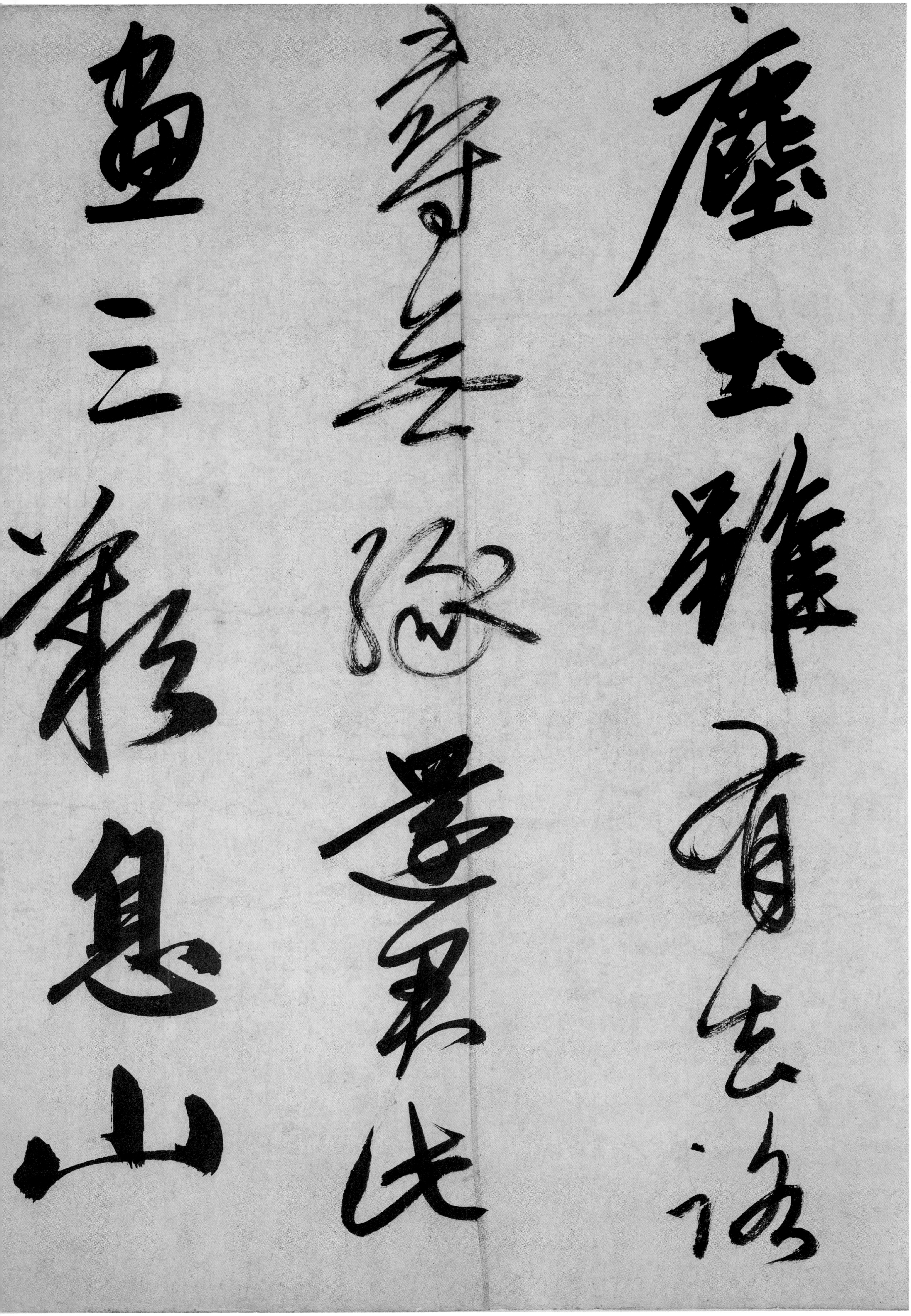

塵土雖有去路尋無緣還君此畫三歎息山

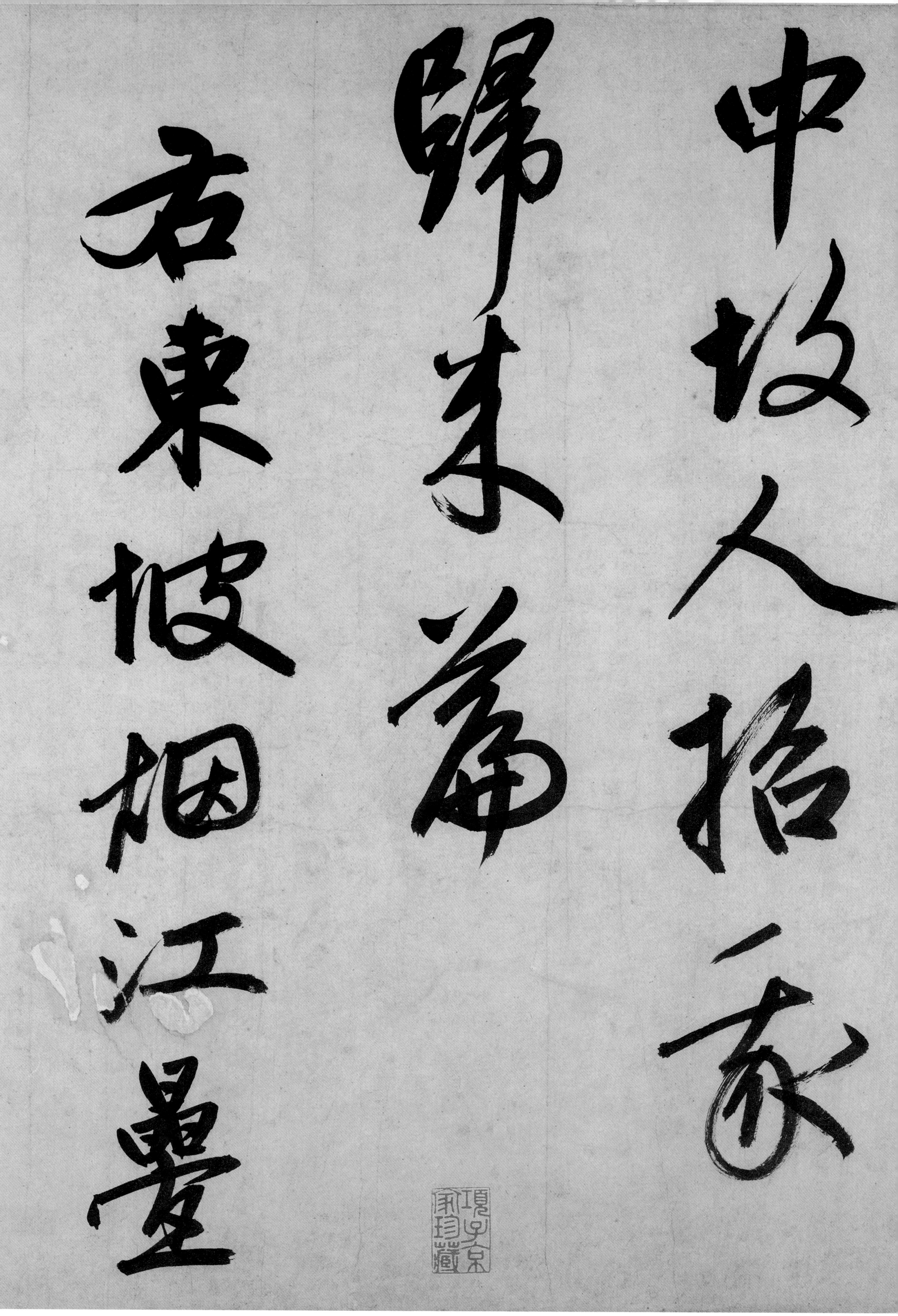

中故人招我歸來篇　右東坡烟江疊

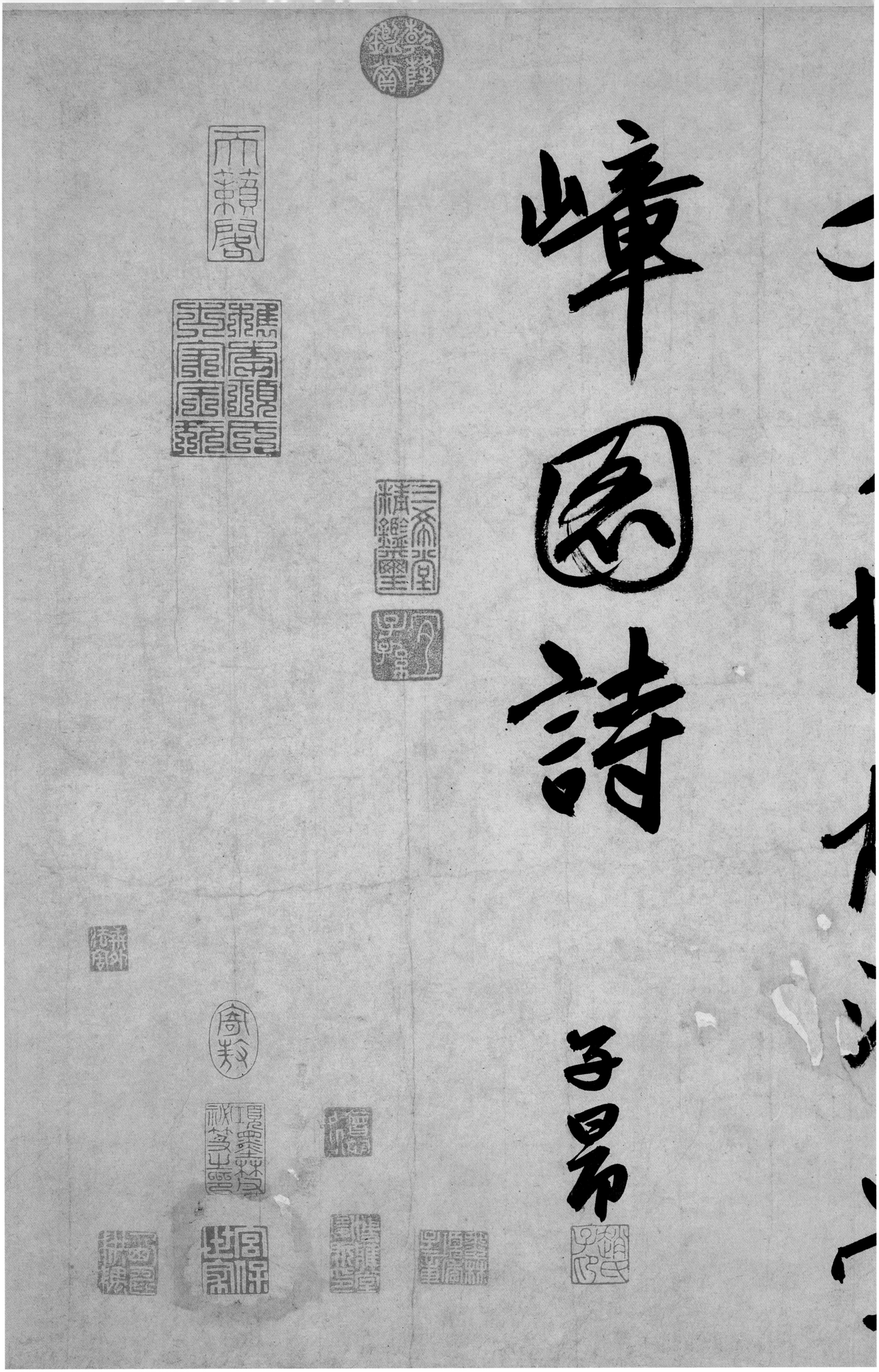

崞圖詩　子昂

秋聲賦

歐陽子方夜讀書，聞有聲自西南來者，悚然而聽之，曰：異哉！初淅瀝以蕭颯，忽奔騰而砰湃，如波濤夜驚，風雨驟至。其觸於物也，鏦鏦錚錚，金鐵皆鳴；又如赴敵之兵，銜枚疾走，不聞號令，但聞人馬之行聲。余謂童子：此何聲也？汝出視之。童子曰：星月皎潔，明河在天，四無人聲，聲在樹間。

余曰：噫嘻悲哉！此秋聲也，胡為而來哉？蓋夫秋之為狀也：其色慘淡，煙霏雲斂；其容清明，天高日晶；其氣慄冽，砭人肌骨；其意蕭條，山川寂寥。故其為聲也，淒淒切切，呼號憤發。豐草綠縟而爭茂，佳木蔥蘢而可悅；草拂之而色變，木遭之而葉脫。其所以摧敗零落者，乃一氣之餘烈。夫秋，刑官也，於時為陰；又兵象也，於行為金，是謂天地之義氣，常以肅殺而為心。天之於物，春生秋實，故其在樂也，商聲主西方之音，夷則為七月之律。商，傷也，物既老而悲傷；夷，戮也，物過盛而當殺。

嗟乎！草木無情，有時飄零。人為動物，惟物之靈；百憂感其心，萬事勞其形；有動於中，必搖其精。而況思其力之所不及，憂其智之所不能，宜其渥然丹者為槁木，黟然黑者為星星。奈何以非金石之質，欲與草木而爭榮？念誰為之戕賊，亦何恨乎秋聲！

童子莫對，垂頭而睡。但聞四壁蟲聲唧唧，如助余之歎息。

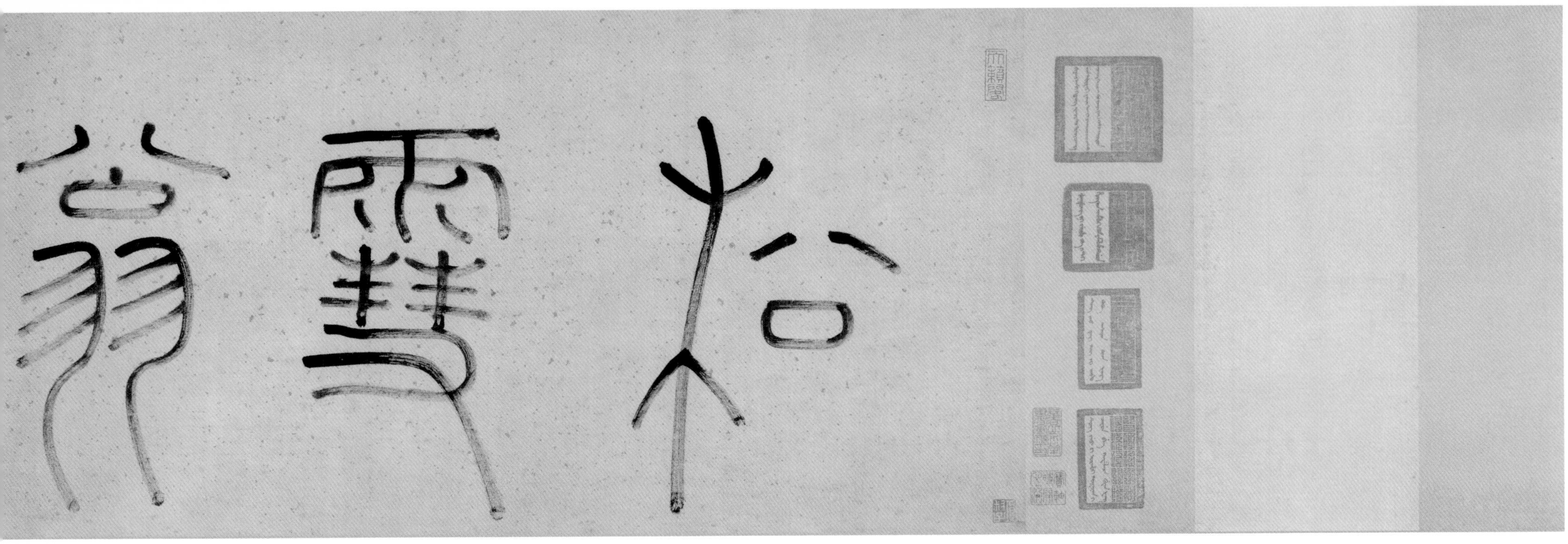

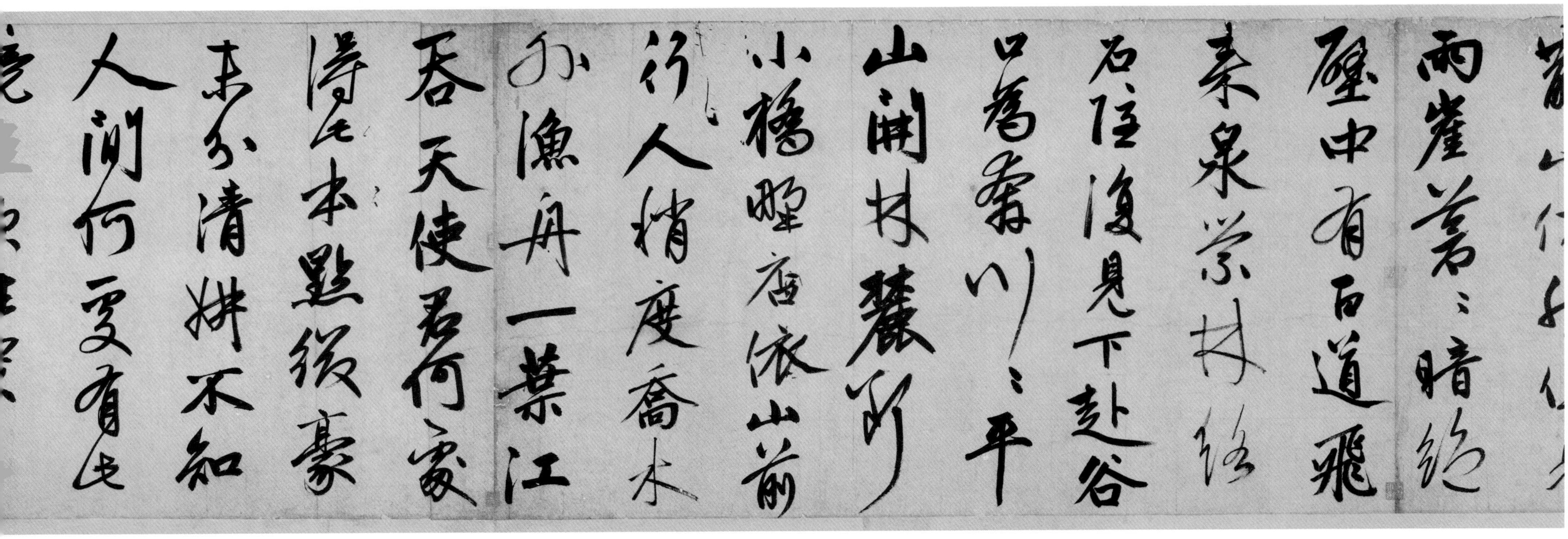
兩崖蒼蒼暗絕
壁中有百道飛
來泉縈林絡
石隱復見下赴谷
口爲奔川川平
山開林麓斷
小橋野店依山前
行人稍度喬木
外漁舟一葉江
吞天使君何從
得此本點綴毫
末分清妍不知
人間何處有此

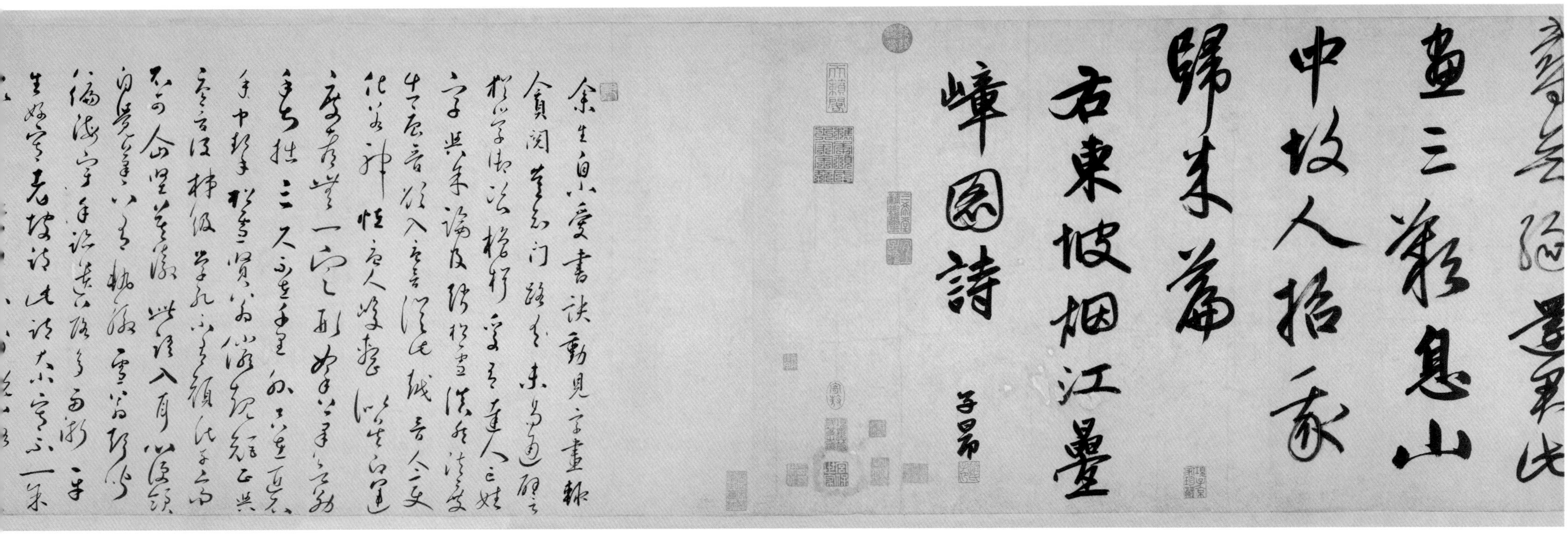
畫三歎息山
中故人招
歸來篇
右東坡煙江疊
嶂圖詩
子昂

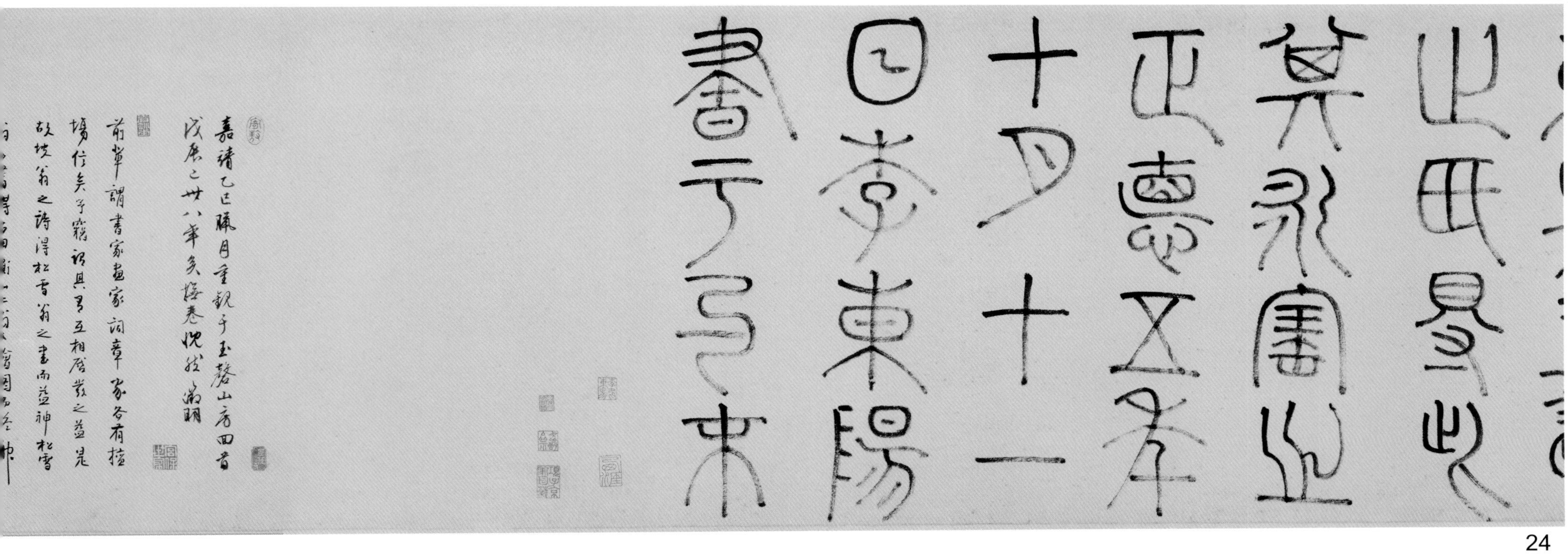